＊少コミフラワーコミックス＊

ふしぎ遊《ゆう》戲《ぎ》

②

渡瀬悠宇

ふしぎ遊戯《ゆうぎ》②

もくじ

第《だい》七回《かい》　とまどう鼓動《こどう》——5
第《だい》八回《かい》　影《かげ》からの誘《いざな》い——37
第《だい》九回《かい》　目覚《めざ》める想《おも》い——67
第《だい》十回《かい》　かえっておいで——97
第《だい》十一回《かい》　逢《あ》いたい…——126
第《だい》十二回《かい》　あなたへの途《みち》——159

▲夕城美朱《ゆうきみあか》
中《ちゆう》3の受験生《じゆけんせい》。

▲唯《ゆい》　美朱《みあか》の親友《しんゆう》。

あらすじ

美朱《みあか》と唯《ゆい》は、図書館《としょかん》で「四《し》神天地書《じんてんちしょ》」という古《ふる》い本《ほん》を見《み》つけます。読《よ》み終《お》えれば願《ねが》いがかなうというのですが、2人《ふたり》はその本《はん》の中《なか》に吸《す》いこまれてしまいます。

その時《とき》はすぐに元《もと》の世界《せかい》に戻《もど》れたのですが、美朱《みあか》だけは再《ふたた》び本《はん》の中《なか》（紅南国《こうなんこく》）に…。

本《ほん》の主人公《しゆじんこう》になってしまった美朱《みあか》は、皇帝《こうてい》・星宿《ほとほり》に請《こ》われ「朱雀《すざく》の巫女《みこ》」になります。合格《ごうかく》と元《もと》の世界《せかい》に帰《かえ》るという望《のぞ》みをかなえるためには、鬼宿《たまほめ》、星宿《ほとほり》、柳宿《ぬりこ》のほか、4人《にん》の朱雀七星《すざくしちせい》の仲間《なかま》を捜《さが》さねばなりません。しかし意中《いちゆう》の鬼宿《たまほめ》に、冷《つめ》たくされてしまった美朱《みあか》は大《だい》ショック…!!

●少コミフラワーコミックス●

第《だい》七回《かい》
とまどう鼓《こ》動《どう》

夕 城 美 朱

M I A K A

- 東京都生まれ。 S52. 5. 12.
- 都立第3中学校 3年4組 18番。
- 母と兄(大学生)と3人暮らし。
- 身長：158cm
- 体重：48Kg(なぜか太らない)でもポッチャリしてる。
- B：82 W：59 H：85
- 視力：右1.0 左1.0
- B型
- しゅみ：マンガを読むこと、食べること、クッキーを作ること.
- 性格：明るくて楽天家なところがある。誰にでもすぐなついて仲良くなる。
  無邪気で感情的になりやすい。人をうたがうことを知らない。
  甘えんぼなところがあるが時々大人がハッとする
  ようなことを言ったりしたりするので あなどれない。
  おおらかで度胸はあるが、どんくさい。
  まわりの人間からは“放っとけない”タイプらしく、いつも
  誰かが世話をやいている。
  自分ではそれなりに人に気を使っている。(らしい)

花マル少女

ハァ
ハァ
ハァ
……美朱《みあか》……
こんなに苦《くる》しがって……
…すみません
オレがついていながら
キッ
…鬼宿《たまほめ》！
市内《しない》でいったい何《なに》があったのだ!?
ことによったらお前《まえ》でもただではおかぬぞ!!

あたし
あんたのこと
好《す》きだもん！
チ…
チンピラに
からまれて
助《たす》けただけですが…
陛下《へいか》
見《み》たところ
巫女《みこ》は随分《ずいぶん》
衰弱《すいじゃく》されて
いますな
……
極度《きょくど》の緊張《きんちょう》と
疲労《ひろう》…体力的《たいりょくてき》にも
精神的《せいしんてき》にもまいって
おられるようだ
今《いま》に始《はじ》まった
ことでは
ないようですが…
肉体《にくたい》はともかく
精神的《せいしんてき》部分《ぶぶん》はなんとも
治《なお》せぬと
申《もう》すのか!?
では
どうすれば…
…さん…
お母《かあ》…さん
…お兄《にい》…ちゃ…

ハッ
…美朱《みあか》…お前《まえ》
家《いえ》に…元《もと》の世界《せかい》に
…帰《かえ》りたいのか
……！
ぎゅっ
皆《みな》の者《もの》
話《はなし》がある
ハッ
はい《はっ》！
唯《ゆい》…ちゃん…
…ハーゲン…
ダッツ…
コージーコーナーの
オレイユ…
モロゾフの
チーズケーキ
ロッテリアの
てりやきバーガー
…食《た》べたい…
…あのね

……どうしたら良《よ》いものか…あのままでは美朱《みあか》は弱《よわ》る一方《いっぽう》だ
…こうなったら一度《ど》元《もと》の世界《せかい》へ帰《かえ》すべきじゃないでしょうか？
あっさり
…確《たし》かに…
しかし異界《いかい》への行《い》き道《みち》などどうやって…
…太一君《たいいっくん》…
「四神天地書《しじんてんちしょ》」を我《われ》らに与《あた》えられた太一君《たいいっくん》なら
美朱《みあか》を異界《いかい》へ戻《もど》す法《ほう》を知《し》っているやもしれぬ！

「四神天地書《しじんてんちしょ》」をここへ持《も》て！
…あれ？
…頭《あたま》がグラグラする…
ハッ
あたし あんたのこと 好《す》きだもん！
…悪《わる》いな オレそんな 感情《かんじょう》ねェから
…そうだ あたし 鬼宿《たまほめ》に…

…バカみたい
本《ほん》の中《なか》の人《ひと》相手《あいて》に
…好《す》きだって
気《き》付《づ》いたとたんに
失恋《しつれん》なんて
これから
どんな顔《かお》して
鬼宿《たまほめ》に
会《あ》えばいいの
…美《み》朱《あか》
…星宿《ほとほり》
…大丈夫《だいじょうぶ》か？
うん…少《すこ》し
だるいけど
…安心《あんしん》おし
…元《もと》の世界《せかい》へ帰《かえ》る
方法《ほうほう》が見《み》つかった

本当《ほんとう》!?
ああ 太一君《たいいつくん》の所《ところ》へ 行《い》くのだ
巫女《みこ》と七星士《しちせいし》だけが おのれの力《ちから》で たどりつかねば ならない 大極山《だいきょくさん》に
少《すこ》し遠《とお》いが私《わたし》と 鬼宿《たまほめ》・柳宿《ぬりこ》で 必《かなら》ずつれていって やる
で…でも この国《くに》あたしが いなきゃ 困《こま》るんでしょ! 7人《にん》捜《さが》して…
…良《よ》いのだ 今《いま》はお前《まえ》の身体《からだ》を 大事《だいじ》にせねば
ムリを言《い》って すまなかった…
ただし 約束《やくそく》して ほしい
帰《かえ》って元気《げんき》に なったら…必《かなら》ず 戻《もど》ってきてくれ
ドキ…

この国《くに》と…
私《わたし》のために
星宿《ほとほり》…
…ドクン
ドクン
この人《ひと》
本当《ほんとう》に
あたしのこと
心配《しんぱい》してくれて
るんだ…
そうよね
帰《かえ》れるんだもの
…鬼宿《たまほめ》のことは
忘《わす》れよう
鬼宿《たまほめ》に
…今度《こんど》
あやまん
なきゃ
迷惑《めいわく》なこと
言《い》って
ごめんねって

ガーン
んが
何《なに》カッコつけて哀愁《あいしゅう》してンのよ!!
あーもーバカッ
あんたが美朱《みあか》をふるから悪《わる》いんでしょーが!!
るせーなお前《まえ》にカンケーねェだろっ
あるわよおおいにっ
このままじゃますっます陛下《へいか》は私《わたし》のこと相手《あいて》にしてくれないわ!!
いい!? 旅《たび》の間《あいだ》に美朱《みあか》にあやまんのよ!! そして私《わたし》は陛下《へいか》をおとす!!
完っペキな計画だわっ
勝手だなお前はっ
男《おとこ》ならあの子《こ》傷《きず》つけた責任《せきにん》取《と》りなさい!!
ったく陛下《へいか》にヤ・キ・モ・チやいてみっともない!!

るせェ
言《い》われなくたって
あやまる気《き》
ぐらいあらあっ
だっだっ誰《だれ》が
ヤキモチ
なんかっ
…図星《ずぼし》
3日《みっか》後《ご》
さわ
さわ
どた
ばた
本当《ほんとう》に供《とも》の者《もの》を
つけなくて
よろしいの
ですか？
なんの
※巡遊《じゅんゆう》を我《わ》が足《あし》で
行《おこな》うだけのこと
※皇帝が諸国をまわること
しかし
陛下《へいか》は地味《じみ》な
格好《かっこう》をなさっても
気品《きひん》があふれ出《で》て
おられますな
ははははは
本当《ほんとう》のことを
言《い》っても
おせじには
ならんぞ
こいつう

あのナルシーさがなければいーんだけど
どきいっ
荷作ってる
あ、幼い。
まだカオ合《あ》わせらんないよっ
ぷいっ
だーっうっとおしいっ
ギイイ…

ガッ
では留守《るす》の間《あいだ》城《しろ》を頼《たの》むぞ
御意《ぎょい》
城内から出るまで辛抱
あたし馬《うま》に乗《の》るの初《はじ》めて！
おにいちゃんのバイクにはのったことあるけど
そうか…でも良《よ》かった歩《ある》けるようになって
う…うんごめんね心配《しんぱい》かけて！
ホントは熱《ねつ》下《さ》がってないんだけどォ
ズキズキ

最近つかれているワタセでございます。皆様お元気でしょうか?
さて.毎っ回、アホほどびっしりフリートークを書いてきましたが.今時ここまで書く人はいないということで、私も手を抜こうかと思いましたが.「単行本を買うのは半分このスペースが楽しみで」と言われ.これはやめてはいけないとこうして書いております。ううう
「思春期―」からけっこうマンガについてたわごとを並べてきましたが(だってあんまり質問くるから…みんなマンガ家になりたいのね…)デビューして3年半の私が言うことです.ベテランさんから見ればまちがってるかもしれないです.
それに絵にしろ全てにおいて書いてきたことは私自身全くなってないんです.バカ正直でハラたってもうれしくても.すぐ外に出してしまうのが困りもので思わず何もかもさらけ出しそうになってもー.
で.いろいろ考えてたらプチッと切れてしまい.もう何も思わないことにしました。
読者さまのことだけ考えればよいということに落ちついてしまったのでもうマンガについての意見はやめちまいます.
それに単行本とは読者さまが買って見るものと考えていた私は.他の作家さんが見るとはちっっとも考慮に入れていなかったので「読んでるよ」と言われ超びびってしまった.
あああ～エラソーなこと書いてたのに――っすみませーん
でもワタセの自信のなさはまわりの人間の知るところ.
この連載当初.刷り出し(最初に印刷されたもの)を見てはきけをもよおし、1人でよく落ち込んで泣く泣く描いてたのさっっ

…
…
き
気《き》まずい
カッポ
な
何《なに》か
会話《かいわ》を…
こっこれは私《わたし》が
場《ば》を盛《も》り上《あ》げなければっ!!
「このステッキ
今日《きょう》買《か》ってきたの」
「素敵《ステッキ》──っ」
カッポ
カッポ
カッポ
はー…

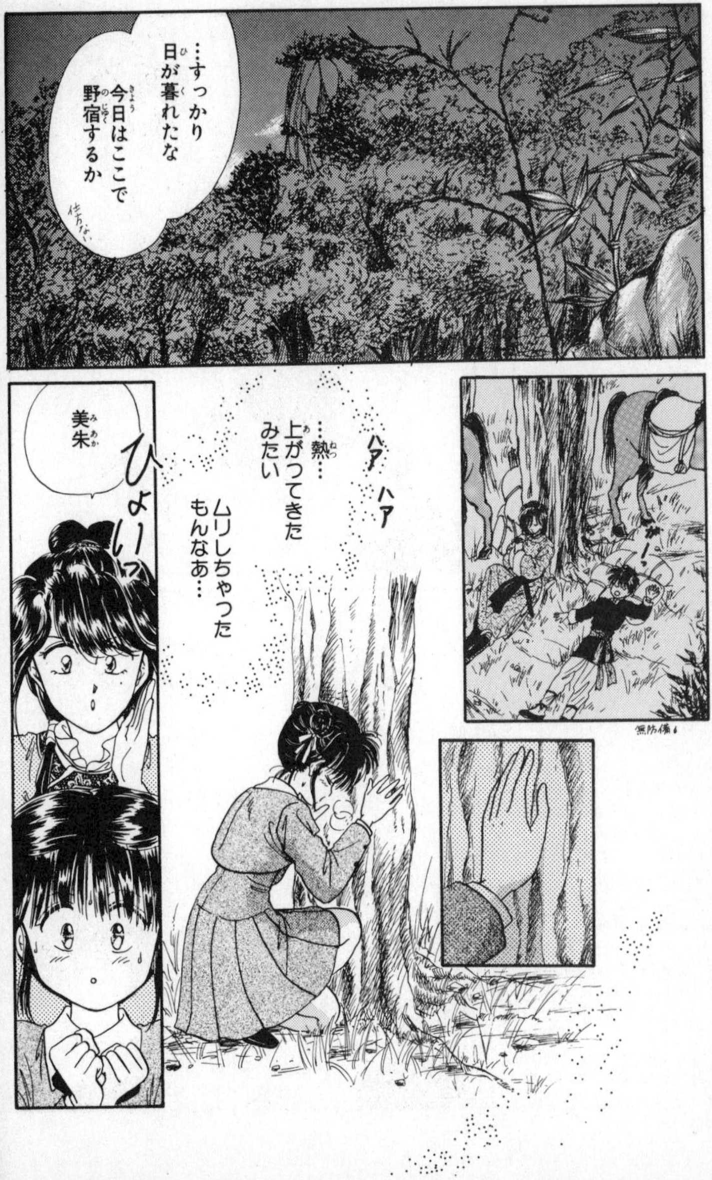
…すっかり日《ひ》が暮《く》れたな
今日《きょう》はここで野宿《のじゅく》するか
仕方ない
がー!
無防備♪
ハア ハア
…熱《ねつ》…上《あ》がってきたみたい
ムリしちゃったもんなあ…
ひょいっ
美朱《みあか》

苦《くる》しいんでしょ！いいこと教《おし》えたげる
コソ
コソ
コソ
この林《はやし》のずっと奥《おく》に小《ちい》さい泉《いずみ》があるの！
泉《いずみ》？
そ！治癒力《ちゆりょく》があるって昔《むかし》聞《き》いたのよ！
入《はい》ってきたら？少《すこ》しは元気《げんき》になるかもよ！
うん！ありがと！鬼宿達《たまほめたち》にはナイショね！
すかー

がしっ
ズルズルズルズル
ゴーン
がっ
ガーン
げっ
ぱっ
ゴーン
なにすんら お前《まえ》はーっ!!
ダラダラ
美朱《みあか》からの伝言《でんごん》！「林《はやし》の奥《おく》の泉《いずみ》で待《ま》ってるわ♥」以上《いじょう》！
なっなんで オレがっ!!
男《おとこ》なら 女《おんな》に恥《はじ》かかせんじゃないわよ！じゃあね！
……

あ!!
あつた!!
良《よ》かつた…
これ以上《いじょう》みんなに
心配《しんぱい》かけられ
ないもんね
さすが本の中
なんでもありだ
ぶく…
都立中央図
くらっ

どした？ 大丈夫《だいじょうぶ》かい 唯《ゆい》ちゃん！
…大丈夫《だいじょうぶ》… さっきから 頭《あたま》がクラクラ して…
美朱《いもうと》のことは オレ達《たち》にまかせて
君《きみ》はもう 帰《かえ》ったほうがいいよ 受験前《じゅけんまえ》の大事《だいじ》な 時《とき》だし
図書館《としょかん》はもう とっくに 閉《し》まってるよ
オレほかのとこ 捜《さが》してくるから
ハァ ハァ
…いえ！ 美朱《みあか》は親友《しんゆう》 だもの！ 見《み》つかるまで 帰《かえ》りません！
そっと
パサ

スッ
…いきなり楽《らく》になった
またか…！ ヘンだ
血《ち》といい水《みず》といい
…まさか…美朱《みあか》にカンケーあるんじゃ
チャポ…
ブクブク
生《なま》ぬるくて温泉《おんせん》みたい少《すこ》し楽《らく》になったかな
旅〜ゆけば〜
ベンベン

ぶつぶつ
…別《べつ》に美朱《みあか》に呼《よ》ばれたから行《い》くんじゃねェぞ ヒマだから…
ズム
バシャ
バシャ
やだ 寄《よ》らないで!!
スー
だ…誰《だれ》か…っ
バシャバシャ

どうした
美朱《みあか》!!
大《おお》きなヘビがっ…
よけろ
美朱《みあか》——っ!!
シュッ
でやあああ
ああ

ドボーン
ブク
ブク
た…鬼宿《たまほめ》…
しーーん
鬼宿《たまほめ》!?
鬼宿《たまほめ》っ!?
ま…まさか死《し》…
あ…あたしのせいで…

わーーっ
鬼宿《たまほめ》がヘビに食《た》べられた——っ!!
今頃消化されてるーっ
ざばあっ
勝手《かって》に殺《ころ》すな!!
た…鬼宿《たまほめ》?
これのどこがヘビなんだ?
う?
ポン
なーんだ!!
ポン
あははは
あははははじゃね…
……
ぱた
丸太《まるた》がふやけて浮《う》いてただけじゃねェか!

ゲゲーッ
あたし
ハダカ
だったんだ!
みっみっ
見《み》てねェぞ
!!
少しかっ
ウソつけ
しーーん
…チャンスだ
ドキドキドキ
あやまっちゃえ
美朱《みあか》!
「好《す》き」なんて
言《い》ってごめんねって
ドキドキドキ
あれは
冗談《じょうだん》だって!
ごめん!!
ごめ…

…え
あの時《とき》…キツイこと言《い》って悪《わる》かったよ
オレ女《おんな》の子《こ》に好《す》きだなんて言《い》われたの初《はじ》めてでさ
「まさか」って思《おも》ってどう答《こた》えていーかわかんなかった
ザバッ
17年間《ねんかん》金《かね》のことしか頭《あたま》なかったし…今《いま》もそーだし!
でもちゃんと太一君《たいいっくん》の所《ところ》までつれてってやるからな!
はやく元気《げんき》になれよ!

鬼宿《たまほめ》…
メキメキッ
ドサ
ぬっ柳宿《ぬりこ》!?
ちぃっ
一気《いっき》に押《お》し倒《たお》すかと思《おも》ったのにっ
これだからウブな男はっ
…ってまさか
あーーっ

計《はか》ったわね!!
オーッホッホッ
だってあんたカンッタンッに人《ひと》のこと信《しん》じるんだもの!
がばっ
ありがと!!
ちょっ…ちょっと放《はな》しなさいよ!!
ばたばた
だって!
良《よ》かった…鬼宿《たまほめ》にきらわれてるワケじゃなかったんだ!
しがみつき
パラ
ぱっ

お…
おっ
男《おとこ》!!
柳
しーーん
ホ
ホホホッ
バレたらしよーがないなあっ!!
私《わたし》は男《おとこ》!!それがどーしたってゆーの!?
ガーン
もしかてオ・カ・マ…

おっ男《おとこ》のくせに星宿《ほとほり》が好《す》きなのあんたっ!!しかも鬼宿《たまほめ》にキスまでしてっ
愛《あい》のためなら男《おとこ》の道《みち》をもふみ外《はず》すわ!!
私《わたし》…これから先《さき》無事《ぶじ》に太一君《たいいつくん》の所《とろ》まで行《い》けるのかな…
あ…頭痛《あたまいた》くなってきた
鬼宿ショックだろうな
性別なんて愛で超えてみせるわっ
陛下だって見かけ女っポイし私達い〜カップルと思わない美朱ねェきいてる?
くっくっ
…朱雀《すざく》の巫女《みこ》か
…おもしろい…この太一君《たいいつくん》の所《とろ》まで無事《ぶじ》にたどりつけると思《おも》いなさるなよ

・突然"ふしぎ遊戯"のBGMについて・

・ここんとこワタセのとこにはテープがよく送られてきて ワタセは、ムチャクチャ うれしいぞ。「ロマンシング・サガ」に「ふしぎの海のナディア」etcときた！
ある方は「うる星」と「らんま」（ところでそれホントにらんまの音楽？超暗かったが）に全曲「ふしぎ一」にあうタイトルをつけて送ってきて下さったのだ。
ごくろーさま、ありがとう。

・ちなみにワタセからのおススメっちゅーか けっこうBGMにしてもいーなーってのは、ゲームミュージック「三国志Ⅱ」最先端サウンドに民族音楽"というワタセの超シュミだが、"カシオペア"の向谷さんだったので思わず買っちまったら良かったの！！ 私としては1曲目が中国らしくて好きだが11曲目の「貂蝉《ちょうせん》の舞」もきれいで良いのだ。（でもこの曲ヘッドホンで聞くほーがいい。）でも 向谷さん、14曲目だけ このCDでどうも浮いてる！ 思わずとばしてるのすみません
あと、これもゲームミュージックの「摩陀羅」ね。私は1曲目の「MA・DA・RA」がかっこ良くて好きじゃーっ（朱雀七星のイメージってこんなかも）で、2曲目の「やすらぎの君へ」が美朱を思い出させるのだ。5曲っきゃないけどいーよ。

・えーと、で、歌でいうと連載前、私は「ファイブスター物語《ストーリーズ》」→見てない の主題歌だった「瞳の中のファラウェイ」（だっけ？）がイメージで聞いてたけど、前アシさんにダビングしてもらった"135"の「我愛你《ウォーアイニー》」がとーってもお気に入り。余談：「ナスカの風」もかっこいい！！
ボーカルの声が好き（男だよ）なんか鬼宿が歌ってるみたいで。（イメージがね）
それとなぜか手元にあるLOGIC SYSTEMの「TO・Gen・Kyo」（これを手に入れたいきさつはフクザツ？なのではぶく）うーんホントに返さなくていーのかな？）このCDのジャケットは何をかくそう大極山のモデルに マイケル・ジャクソンも なったのだ。このジャケットはお気に入り。あの「コーヒー・ルンバ」とーぜん入ってますが歌がほとんど中国語で（"ライディーン"が中国語で歌われてて歌詞がすごい）女性ボーカルで、英語・日本語・中国語で歌詞がついてます。（ほとんど見てませんが）私は「上海月夜」が好き。切なくてロマンチックなメロディで、バックコーラスに日本語で「さよなら」と言ってるのがにくい。「我愛你」（愛してる）とも言っている。（日本語歌詞は演歌みたいだけど）
1曲目の頭の中国語、11曲目は話題の"バーチャル・リアリティ"らしいっす。インストも何曲か入ってます。…機会があれば聞いてみてね！！

やっぱ最近は
テクノ・ポップってか
ちょっとQさんー
"P-MODEL"いーよー

ところで なつかしいが「恋はパッション」も歌詞に「チャイナタウン」だの「チャイナ・ボーイ」が連発されてますなー 英語歌詞でわからんけど。
あと「ロードス島一」の「アデッソ・エ・フォルチュナ」も良い！！
まちがってたらスマン
この歌きれいな声できまたいよ〜

第《だい》八回《かい》

影《かげ》からの誘《いざな》い

…どうも ありがとう 唯《ゆい》ちゃん
受験前《じゅけんまえ》の 大事《だいじ》な時《とき》に 美朱《みあか》のために 走《はし》りまわって くれて
……
都立中央
じゃオレ 別《べつ》のとこ 捜《さが》しに行《い》く から
美朱《みあか》が 見《み》つかったら すぐ連絡《れんらく》 するからね
気をつけて

美朱《みあか》…
図書館《としょかん》に いるかと 思《おも》ったけど…
いったい どこに 行《い》っちゃったん だよ…
あーもう つかれた!
いつになったら 太一君《たいいつくん》のいる 大極山《だいきょくざん》につくのよ
はやく元《もと》の 世界《せかい》に帰《かえ》り たいよォ

つかれはてて食欲《しょくよく》もわかないわ
あー
ウソつけこんだけ食っといて!!
金のかさばる奴だなっ
まーまー一応《いちおう》病人《びょうにん》なんだから！
あれ？星宿《ほとほり》は？
ブツブツ
自分のお金じゃなくても出すのをしぶる
あら？そういえば
星宿《ほとほり》！
何《なに》してるのなんかおいしそーなものあったの？
いや

こうして
ボンヤリ広《ひろ》い景色《けしき》を
ながめることは
あまりないのでな
そっか
いつも宮殿《きゅうでん》で
お仕事《しごと》してるん
だもんね
わかるよ
あたしも
ここにくるまで
毎日塾《まいにちじゅく》と学校《がっこう》に
通《かよ》いづめ
だったもん！
お母《かあ》さんの
ためとはいえ
よくやってたなァ！
…母《はは》か…
…私《わたし》は14歳《さい》で
亡《な》くなった父《ちち》の
後《あと》を継《つ》いだ
だがそれには
いろいろな
勢力争《せいりょくあらそ》いがあって
きつい性格《せいかく》だった母《はは》は
相当《そうとう》に残忍《ざんにん》な方法《ほうほう》で…
…いやこれはあまり
言《い》いたくない
ピー……
チチチ
ともかく私《わたし》は
母《はは》の意思《いし》で
帝《みかど》となった
…あやつり人形《にんぎょう》
だったと言《い》えるかも
知《し》れないが

でもその
母《はは》も亡《な》くなって…
不気味《ぶきみ》なほど
私《わたし》のまわりは
静《しず》かになった
忠実《ちゅうじつ》な家臣《かしん》
たくさんの民《たみ》
…でも私《わたし》は
静《しず》けさの中《なか》で
おのれの孤独《こどく》を
知《し》った
バサ バサ…
…まるでカゴに
飼《か》われた
鳥《とり》のようだとな
だったら
これから
いっぱい
飛《と》びまわれば
いーじゃん!
まだ
若《わか》いんだしさ
!
ババアかお前は
ヘッ
どきっ

いい子《こ》だね
お前《まえ》は…
いつでもどこでも〜
いつも明《あか》るくて
自由《じゆう》で
……温《あたた》かい
ドキ
ドキ
…まずい
な…何《なに》
ときめいてンのよ
ドキ
ドキ
…このまま
ずっと一緒《いっしょ》に
いられれば
良《よ》いのに…
ドカ
樹木
何《なに》を怒《おこ》って
いるのだ？
柳宿《ぬりこ》は…
キーーッ
おちつけっ
鬼宿《たまほめ》…
フン

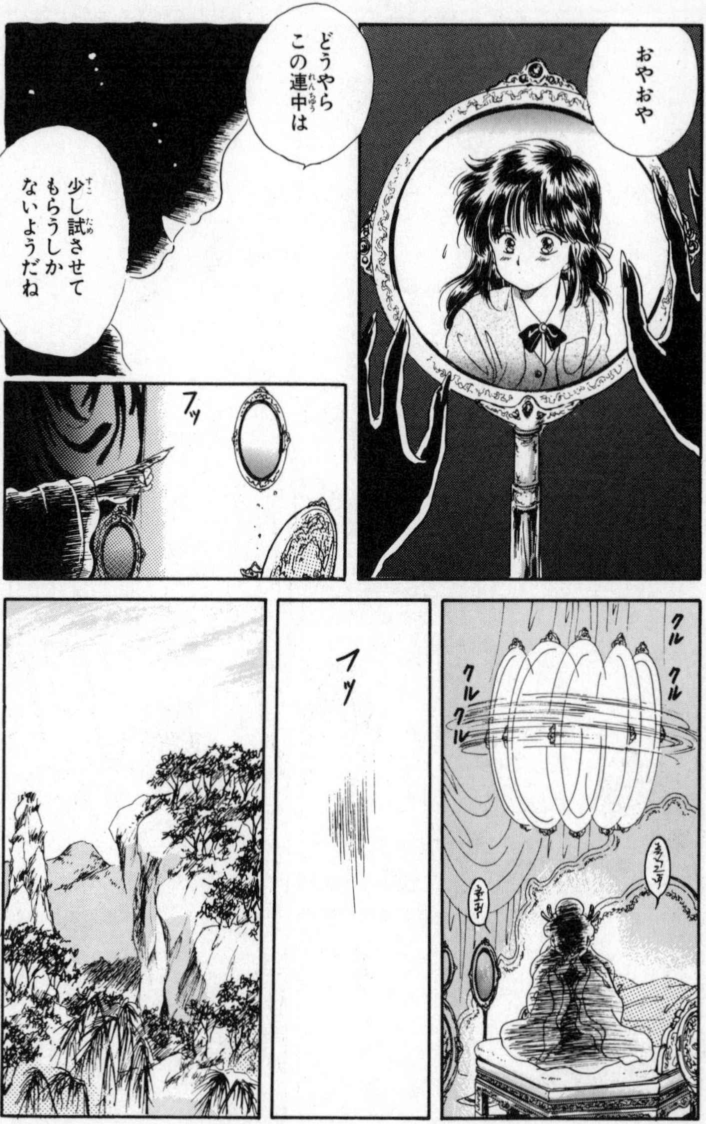

おやおや
どうやら この連中《れんちゅう》は
少《すこ》し試《ため》させて もらうしか ないようだね
フッ
クル クル
クルクル
フッ

カッポカッポ
おい美朱《みあか》
そんな1人《ひとり》で
スタスタ
行《い》くなって
ちょっと元気になったからって
平気《へいき》
平気《へいき》…
うん
こけっ
あっ
バーッ
鬼宿《たまほめ》っ!!
見《み》たでしょ
今《いま》っ!!
見《み》てねェよ
んなもん
うそっ　こないだは
ハダカも見《み》たくせにっ
けっ
見《み》たところで
なーんにも
感《かん》じねェや!
もっと胸《むね》も
でかくて色気《いろけ》が
ありゃ女《おんな》として
認《みと》めてやるけどよ
ムカー

ばぢーーんっ
鬼宿《たまほめ》のバカ!!
ズッ
ダラ
ダラ
はっ
あっおい
美朱《みあか》!
待《ま》て!
サーー…
…柳宿《ぬりこ》 少《すこ》し
ヘンだとは
思《おも》わぬか
いいえ
私達《わたしたち》とても
お似合《にあ》いだと
思《おも》いますわ♥
そうじゃ
なくて!

この霧《きり》…まだ昼間《ひるま》だというのにおかしすぎる
そういえば…それにさきほどから同《おな》じ所《ところ》を歩《ある》いてるような気《き》がしますわ!
星宿様《ほとほりさま》!
鬼宿《たまほめ》!美朱《みあか》は?
それが急《きゅう》にこのすごい霧《きり》で見失《みうしな》ってしまったんです!
どーして鬼宿《たまほめ》っていつもああなのよ!
星宿《ほとほり》のほうがよっぽどあたしのこと…
コン
星宿《ほとほり》のほうが…
コロ
コロコロ…

あれ？
みんなは…
ぴくっ
こ…この
かぐわしくも
ステキな香《かお》り
は…!!
まさしく
牛肉《ぎゅうにく》ヒレステーキ
クリームソースあえに
野菜《やさい》たっぷり
コンソメスープに
シーチキンサラダ!!
ミートソース
スパゲティーに
ちょっと甘酢《あまず》っぱい
ブルーベリー
シャーベットとみた!!
くんくん
くんくん
お前
ホントに弱ってんのか？
おおっ
あんな所《ところ》に!!

ふしぎ遊戯②

さきほど はきけをもよおした、とのべましたが、けんそん(ひらがなで書くなってか)してるとか「そんなことないよ」と言って欲しいとかじゃないんです!!連載前、あまりの自信のなさに胃を悪くし体の調子も出なくなって、担当さんに言うと「かわいそうだけど職業病ですねー」、今でもたまに原稿見てて破り捨てたくなったりとか、巻頭カラーの時も「いいんですか」と聞き直すわ、1巻出してもらえるか本気で心配するとか私って…一体…アシさんに言うと「不思議な人ですね」作品やキャラを自分でけなしたりするのはキライじゃなくて自信がないから「何これ」って言われる前に自分で言っとこうという現れではないかな?だから読者さまのお手紙がマンガ描いてる上で一番の楽しみなんですね。悲しい奴…1巻出た時もうれしいより心配で心配で(今までのマンガもそうでしたけど)読んだ後、「何コレ」って思われて捨てられてんじゃないだろーとか思ってたので これを読んで下さってるのはうれしいです。CDもうれしいけど同じ気持ちでいます。今6月30日、明日発売という日で この2巻はとっくに聞かれている時ですけど。ふー、この先どーするんだ ああ、そうそう、それで読者さまにささやかながら「渡瀬新聞」なるものを送ったのですが喜んで下さったみたいで良かった。(レターの返事ね)で、封筒の裏に「ゆう」とちょこんと書いていたのは、ワタセのフルネームは男とカン違いされやすいので親御さんに誤解されてはマズイので、お友達からをよそおったという……(よけい誤解されてたりして)

※CDブックの「アフレコこぼれ話」は「レコーディングこぼれ話」のまちがい!まー人間まちがえることもあらーな。誰も気付かなかったんだけど。

ホンット
食《く》い意地《いじ》
張《は》った女《おんな》ねェ
我《われ》ながら
情《なさ》けないわ!!
でえっ
な…何《なに》よ
あんた…
あたし?
あたしは
あんたよ
鏡《かがみ》に映《うつ》った
あんた!
あたしは
あんた?
あたしは
あたしで
あんたは
あたしで
あたしが
あんた…
?
美朱ーっ

美《み》朱《あか》ーーっ
鬼宿《たまほめ》!!
ぐしゃ
ジャマよ!
ひょい
あんたはそこで好《す》きなだけ食《く》ってな!
イヤよ出《だ》してよ!!
ドンドン
ヤーよ!♪
あたしは星宿《ほとほり》が好《す》きなのあんな鬼宿《たまほめ》なんかよりね!
だから彼《かれ》とずーっとここでくらすの!
ぬりぬり

あたし元《もと》の世界《せかい》なんて戻《もど》りたくないもの
なんでわざわざイヤな受験《じゅけん》しに帰《かえ》るワケ？
学校《がっこう》も塾《じゅく》も二度《にど》と行《い》くもんか！
ドーン
ドーン
待《ま》って!!ここから出《だ》して!!
今度《こんど》はあんたが影《かげ》になって鏡《かがみ》の中《なか》で見《み》てる番《ばん》よ！
あはははは
「外《そと》からはお前《まえ》の姿《すがた》も声《こえ》もわからなりぞ」
「私《わたし》の術《じゅつ》を破《やぶ》ってごらん美朱《みあか》…本当《ほんとう》の朱雀《すざく》の巫女《みこ》ならね」

誰《だれ》!?
ばくばく
がばがば
…
誰《だれ》!?
誰《だれ》なの!?
ぷはっ
…どんな非常時でも食べるのかお前は……
美朱《みあか》──っ
なんだ
どこへ行《い》ってたんだ
お前《まえ》!
うん…
ちょっとね
めずらしい鏡《かがみ》を
見《み》つけたの

心配《しんぱい》した？
鬼宿《たまほめ》
ギクッ
べ…別《べつ》に…
…こいつ…!?
こら──っ
鬼宿《たまほめ》に
せまるなーっ
ドドドドドーン
でも良《よ》かった
無事《ぶじ》で！
！
だきっ
うん！
ごめんね
ダーリン♥
あーーっ

みっみっ美朱《みあか》!!
あんたっ…
あら柳宿《ぬりこ》
なんか文句《もんく》ある?
あんたも
さっさと
星宿《ほとほり》のことは
あきらめたら?
バッカみたい
男《おとこ》のくせに
お…お…男《おとこ》!?
ま…
まさか!
私以外にこんなキレーな男がいるはずがっ
ひどいわ――っ!!
バラすなんてーっ
ベキバキメキ
柳宿《ぬりこ》…!!
んが
自分でバラしてるぞお前

どうしよう!! このままじゃ みんな バラバラに なっちゃう!!
誰《だれ》か!! 気付《きづ》かないのっ!?
あんなの ほっといて… こっちに来《き》て 星宿《ほとほり》!
しかし
……
えい!!
ド
さっきの話《はなし》の続《つづ》き… 私《わたし》あなたと一緒《いっしょ》なら 帰《かえ》らなくてもいーのよ
!
もう 太一君《たいいつくん》の所《ところ》なんか 行《い》くのやめようよ

私《わたし》のこと好《す》きなんでしょ私《わたし》もあなたが好《す》き…
ニヤッ
欲《ほ》しかったらあげるよ！
…ちっ…ちがう星宿《ほとほり》鬼宿《たまほめ》!!
それあたしじゃない!!

ここから
出《だ》して――っ!!
美朱《みあか》!?
「ここから出《だ》して」
美朱《みあか》だ
美朱《みあか》の声《こえ》だ!
都立中央図書
タッ
あいつ
やっぱり図《と》書館《しょかん》に
……

ストッ
たたっ
パアッ
待《ま》ってな
美朱《みあか》…
すぐ行くから！
誰《だれ》だ!!
…やべ！

…貴様《きさま》
何者《なにもの》だ！
私《わたし》の知《し》ってる美朱《みあか》はそのような娘《むすめ》ではない
正体《しょうたい》を見《み》せろ！
くっ…くすくすくす
用心《ようじん》しろ鬼宿《たまほめ》！
本物《ほんもの》の美朱《みあか》はどこだ！

いるじゃない 目《め》の前《まえ》に！
あたしは 美朱《みあか》の影《かげ》… 美朱《みあか》自身《じしん》だもん！
…あ
ましょせん こんなバラバラの 4人《にん》で太一君《たいいつくん》の所《ところ》へ つけるわけないのよ
…そうか あれは あたしだ
あたしの中《なか》の いいかげんな 感情《かんじょう》が こうして…
この子《こ》の言《い》うこと やること あたしが 心《こころ》の奥《おく》できっと 思《おも》ってることなんだ！

たわけた
ことを…
ガッ
鬼宿《たまほめ》星宿《ほとほり》っ…!!
つあぁっ

か…身体《からだ》の力《ちから》が…
抜《ぬ》けてく…
あんた達《たち》の好《す》きな美朱《あたし》はこの鏡《かがみ》の中《なか》よ
どーせあんた達《たち》は美朱《あたし》を護《まも》るために生《い》きてるんでしょ力《ちから》をもらったって当然《とうぜん》よねェ…美朱《みあか》！
や…やめて…
ガクッ
ズル…
できるもんなら助《たす》けてみなさいよ「朱雀《すざく》の巫女《みこ》」さん

どうすれば いいの
どうすれば この子《こ》を消《け》せるの
さあ どう動《うご》く 朱雀《すざく》の巫女《みこ》
見《み》せて もらおう
やめて――!!
美《み》…朱《あか》…っ

ハッ
そうだ
この子《こ》が
あたし自身《じしん》なら
バッ
パリン
あたしが
消《き》えれば
いいんだ!!

シリーズ(?)

パロッてごめんね (1)

これを読めば「ふしぎ遊戯」が100倍楽しめるぞ!!

▶案・東京都・Kさん (職業?・アシスタント)

第《だい》九回《かい》
目《め》覚《さ》める想《おも》い

放《はな》して下《くだ》さい!!
図書館《としょかん》はもう閉館《へいかん》したんだ帰《かえ》りなさい!!
友達《ともだち》がまだ中《なか》にいるんです! 放《はな》して…
…って言《い》ってンだろ!!
ガン
ゴロゴロゴロ
ぎゃーーっ
ぴくっ

バッ
!!
!
うわあああ
ーっ
オレは
無実だーっ
ドル…
チャリン

美《み》…
…朱《あか》…!?
ズズッ
…消《き》えろ影《かげ》のあたし
消《き》えろ——!!
ビクッ
!
ぐあ…っ
ゲホッ

ガバッ
ハッ
鬼宿《たまほめ》…

ズ
パン

ザッ
うっ
鬼宿《たまほめ》!!
スイ…
ゲボッ
かわいーなあ

ドドーン
おいや
ボシュッ
なんっか
おかしーと
思《おも》いましたわっ
フン
…柳宿《ぬりこ》！
ハッ
鬼宿《たまほめ》!!
大丈夫《だいじょうぶ》か!!
…平気《へいき》です
ニッ
…それより
星宿様《ほとほりさま》…なかなか
やるじゃ
ないですか

フッ
…なんの お前《まえ》には かなわんよ
……
立《た》てるか？
星宿様《ほとほりさま》!!
…美《み》朱《あか》!!

美朱《みあか》!
どうしてこんな…
…これは…さっきのニセ物《もの》も同《おな》じところから血《ち》を出《だ》して…
ハッ
…まさかオレ達《たち》を助《たす》けようとして…!?
…美朱《みあか》!!
しっかりしろ美朱《みあか》!!
…みんなの声《こえ》が遠《とお》くで聞《き》こえる…
どうしたのあたし……
フ…

ここは…？
…そつか あたし胸《むね》を刺《さ》して…
まずいな これつて まずいよ
あたし 死《し》んじゃうのかな？
美朱《みあか》!!
…こんな娘《むすめ》は 見《み》たことがない ――！
ちょっと 2人共《ふたりとも》 向《む》こう向《む》いてて 下《くだ》さいな！
えっ
服《ふく》ぬがせて 手当《てあ》て するから!!

おいっ お前《まえ》も確《たし》か 男《おとこ》…
私《わたし》は心《こころ》は 乙女《おとめ》よっ
ギッ
ビッ
!! これは ひどいわ!
よく できたわね こんなこと!
…大丈夫《だいじょうぶ》 なのか!? 美朱《みあか》は…
はい 急所《きゅうしょ》は幸《さいわ》い 外《はず》れてます あとは彼女《かのじょ》の 生命力《せいめいりょく》に頼《たよ》る しか
……!!

…ダメだわ血《ち》が止《と》まらない!!
このままだと…!
美朱《みあか》!!
目《め》を開《あ》けろ!!
…たのむ美朱《みあか》しっかりしろ!!
…すまないオレがお前《まえ》に冷《つめ》たい態度《たいど》取《と》ったせいでこんなことになっちまって

どんどん顔《かお》から血《ち》の気《け》が引《ひ》いていく!
柳宿《ぬりこ》!! どうすれば… どうすれば いいんだ!?
血《ち》を与《あた》えることが できれば…でもムリよ 手術道具《しゅじゅつどうぐ》さえ ないのに!
血《ち》……!?
何《なに》も聞《き》こえない… 誰《だれ》もいない
あたし… 死《し》ぬの…?
ぱ!

おっそーいえ㊀、ちがう㊇。ちまたではワタセが「H」ではないかという論争が…(ウソ)
あのですねー「思春期ー」ぐらいなんですけどHっぽいのは。あすか達のことをよく夢に見たという方が多かったのでよほどあの作品は印象が強かったのでしょうかね。
あの作品の7巻でP141、「スケベになったのね」とか思われるとちょっと♪と書いたのは困るとかじゃなくて私にすると「たかがコレぐらいで」という感じで。「やだーっHーっ」と喜んで恥じらうのは10代の少女達ぐらいで20歳越えた奴がそういう話を友達同士しようともう平然としてます。もうギャグにしかなりません。「Hなん」とかの問題じゃ…
だからああ。そうかコレぐらいで10代は反応するのか。という。わかりますけどね。うん若いな
(なんの話をしているんだ？)
私はベッドシーンも必要なら世論にひっかからないところまで平気で描きますからねー。ただ、必要もないのにネチャネチャするのはキライで。このお話も本誌のほうはやっと本筋に入ったので、シリアスな面でそういうのが出るかもしれない。(え？うれしいって？)
1巻はまだキャラが動いてないし2巻もやっとなれた、ぐらいなんでまだ明るいですけどー。うん、でも売れなくなったら「体験もの」マンガでも描こう。(それって一体…!)
「思春期ー」の番外編もけっこうう〜ん描いてるから〜♪でも増刊って読者層高いし。大丈夫だろう。でもあれは愛情の1つの表現だし悪いとは思わないからね。ただ興味本位、ミーハーのりはね、読者に影響与えるから考えてます。…ホンットになんの話してるんだ私は!!?少年誌Hを目指すワタセだ。

あ！ガトーショコラだっ
気楽→
待《ま》って!!
ポーン
ポーン
ぱしっ
やたっ
あれ？
美朱《みあか》！ あんたは何回《なんかい》言《い》ったらわかるの！
英語

城南学院《じょうなんがくいん》に合格《ごうかく》するのよ!!
ちょっとはお母《かあ》さんの立場《たちば》も考《かんが》えてちょうだい!
お…お母《かあ》さん!!
お母《かあ》さんの言《い》うことちっともきかないで…
もうお前《まえ》みたいな子《こ》帰《かえ》ってこなくていいわ!!
お母《かあ》さん!!
べちっ
愛のムチ
ゲッ
塾《じゅく》の先生《せんせい》!?
お前《まえ》みたいな落《お》ちこぼれは初《はじ》めてだよ夕城《ゆうき》!

お前《まえ》が入《はい》れる
高校《こうこう》なんて
1《ひと》つも
ありはしない
いいかげん
あきらめたら
どうだ!
「そうだよ
やめとけ」
「お前《まえ》なんか
塾《じゅく》にも学校《がっこう》にも
目《め》ざわりだ」
いや!!
ハア
ハア
ハア
ハア
…そうだ…
あたし
死《し》んじゃって
当然《とうぜん》なんだ
人《ひと》に迷惑《めいわく》ばっかり
かけて役《やく》たたずで
だから
バチが
当《あ》たったんだ

…あそこに 行《い》けば
楽《らく》に なれるかなぁ ……
…美朱《みあか》!!
ハッ
都立中央図
美朱《みあか》… どこなの!?
ズルッ
ズルッ

ズル
美朱《みあか》…!
唯《ゆい》…
唯《ゆい》ちゃん
!
美朱《みあか》…!
美朱《みあか》だね!?
あんたどこにいるの!?
何《なに》してンだよ!
唯《ゆい》ちゃん…今《いま》
あたし本《ほん》の中《なか》よ!
本《ほん》!?
本《ほん》てあの…!?
そう…2人《ふたり》で見《み》た
「四神天地書《しじんてんちしよ》」の中《なか》
…閉《と》じこめられて
るの!

…やっぱりそうじゃないかって…
ハァハァ
それよりあんた今《いま》すごいケガしてるね!?
ズルッ
どうしてわかるの!?
わかんない…でも待《ま》ってな今《いま》行くから!
…唯《ゆい》ちゃん…ダメだよあたし…もうそっちへ帰《かえ》れないと思《おも》う…
…美朱《みあか》――!!
なんで!?あきらめんなよ!
帰《かえ》って…おいでよ!!

…でも
ズルッ
あたしが…きっと本《ほん》の中《なか》から出《だ》したげるよだから
美《み》朱《あか》負《ま》けるな――!!
唯《ゆい》…
ポッ

…死《し》ぬな…!!
チャッ
死《し》ぬな美朱《みあか》!!
バッ
鬼宿《たまほめ》
星宿《ほとほり》!?

血《ち》がいるなら…身体中《からだじゅう》の全《すべ》ての血《ち》をお前《まえ》にやる!!
お前《まえ》を失《うしな》うくらいなら
オレの命《いのち》に代《か》えたってかまわない!!
お前《まえ》のためなら
あ…たし

あきらめない…
美朱《みあか》
ボタ
ボタッ
美朱《みあか》──!
あたし死《し》なないよ──!
ぴくんっ
血《ち》が…
止《と》まった!?

……美《み》朱《あか》!!
鬼宿《たまほめ》…? 星宿《ほとほり》 柳宿《ぬりこ》…
あたし… 生《い》きてる…?
ム――ッ
……
おい
ははっ
ホントだ 鬼宿《ためほめ》だあ!
…バカヤロ 心配《しんぱい》させやがって!
いてっ
良《よ》かった 本当《ほんとう》に…!!

まーったく あんたみたいな 単純《バカ》で食《く》い意地《いじ》はってて 明《あか》るいだけが とりえの子《こ》が 死《し》ぬわきゃないと 思《おも》ったわ！
いっぺん はっ倒《たお》すよ 柳宿《ぬりこ》
…真《ま》っ黒《くろ》な所《ところ》でね すごくキレイな 場所《ばしょ》見《み》つけて…
でも みんなの声《こえ》が 聞《き》こえたの
だから 行《い》くの やめたんだ
ありがと……
パァ…

何《なに》!?
あたりの景色《けしき》が変《か》わった…?
…お前達《まえたち》の互《たが》いへの気持《きも》ちは見《み》せてもらった
お前達《まえたち》はもう私《わたし》の所《ところ》へ来《き》ているのだよ
あれえ? やっぱ天国《てんごく》来《き》ちゃったの?
まっじぃ〜
ポリポリ
違《ちが》う ここは…
大極山《だいきょくざん》!!

ズ…
よく おいでだね 美朱《みあか》
太一君《たいいつくん》──!?
お前《まえ》と その七星士《しちせいし》 3人《にん》に免《めん》じて
元《もと》の世界《せかい》へ 戻《もど》る方法《ほうほう》を 教《おし》えてやろう

もしかして本編よりウケたらどうしようの

パロってごめんね
(2)

↓案・M・Y先生

第《だい》十回《かい》

かえっておいで

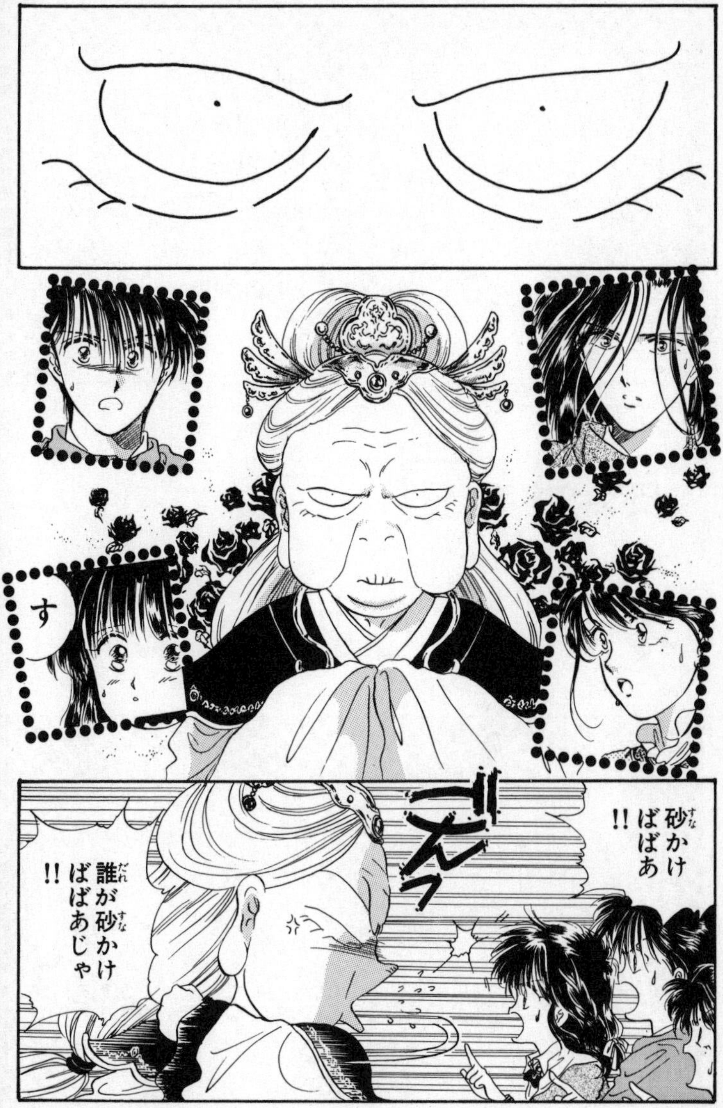
す
砂《すな》かけばばあ!!
誰《だれ》が砂《すな》かけばばあじゃ!!

あの〜 あなたが ホントに 太一君《たいいつくん》…?
そう わしがこの世界《せかい》を 司《つかさど》って… こら星宿《ほとほり》 目《め》をそらすな!
みにくいものは 見とうない
それにしても 柳宿《ぬりこ》以外《いがい》 ひどい傷《きず》じゃのう!
おぬしらが 仲間《なかま》のために どこまでできるか 試《ため》したんじゃが ここまでするとは!
た 試《ため》した って…
美朱《みあか》!!
傷《きず》に響《ひび》く ヘタに動《うご》くな!
仕方《しかた》ない… まず わしの宮殿《きゅうでん》まで おいで
ムワッ
話《はなし》は それから じゃ
わっ

…にしても
すっごいなあ…
途中で落ちたりしないでしょーね

この山《やま》は
選《えら》ばれた者《もの》にしか
来《こ》れぬし また見《み》えぬ
ホッホッホッ
たとえ来《こ》れても
邪心《じゃしん》の者《もの》には
岩《いわ》の転《ころ》がった山《やま》に
しかすぎぬ
一般者閲覧禁止図書
……あった!
四神天地書
パラ…

美朱《みあか》…
どこ?
!
パラ
なるほどね…
この物語《ものがたり》の中《なか》の「少女《しょうじょ》」
これが美朱《みあか》だ
「少女」はその時、あの鬼の字を持つ少年が
少年は「少女」に初め
が、「少女」は冗談を真に受け
…「鬼宿《たまほめ》」…
そう…
あの人《ひと》「鬼宿《たまほめ》」って
いうの…

→まだの人「気長にまってみよう」

そうそう、「ワタセ新聞」でワタセのプロフィール、クツのサイズ。足のサイズじゃないよ。25でも入っとるわい! 25.5ってぬげるぐらいなんだけどピッチりしてるときゅーくつだから。でもこの身長だと平均だけどなあ。あと1巻で年令ふったら「26歳でしょう」違ーう!! 「思春期ー」の連載90年12月からで1年も連載しなくてコレに入ったのにどーして26!? 高校卒業4年前なのに…しくしく あ、そうそう 後輩からお手紙いただいてしまった! 何度かあったけど しかも漫研!? 私が入学した時死ぬほどあって欲しかった漫研とな!? 私はしょーがないので美術部と映画研究部に入って「ミンキーモモ」と「バイファム」のセルをぬってました。両方半年でやめたけど。なつかしいなーまだ記憶は新しいけど、3年の時の担任が私の単行本を職員室の机のひきだしに入れているというのにはびっくりだ!! お元気ですかーそーじさぼるわ先生の教科の数学は「3」しか取れないわ、ロクでもない生徒でしたがいい高校でした。

「堺女子」に名前変わったそうで。じゃあ、未だにおいてる校章も組章ももうデザイン違うんですね。でも1つ不満だったのは冬の制服!! リボンかタイが欲しかった!! (卒業したからなんでも言う) 今もそう? 制服っていや美朱の制服は「かわいい」と評判が良い。うーん だって毎日着てくんだもんね。かわいいのいいよね。私在学中、堺○業うらやましかったよー共学で。なに言ってんだか でも先生方も真険に生徒のことを考えて下さってて(私立で校則きびしかったけど。)どうもお世話になりました。いいやねー中・高時代は。戻りたいですねーできたら。制服着て学生カバン持って教室で友達とふざけてね。今イヤだって人いるだろーけど思い出すといいんだよ学校って。

さて
まずその傷《きず》の手《て》当《あ》てをせねばなるまいて
娘娘《ニャンニャン》!
ポウ
PON
ストッ
その者達《ものたち》の手《て》当《あ》てをしてやれ
わら
わら
あなた女《おんな》の子《こ》こっち!

あなたも治療《ちりょう》するね
え？私《わたし》ケガしてないわよ
変態《へんたい》を治《なお》す！
男
ブんっ
太一君《たいいっくん》鬼宿達《たまほめたち》の手当《てあ》てを充分《じゅうぶん》にしてあげて下《くだ》さい！
私《わたし》のためにケガしたんです私《わたし》はいいから…
だめ治療《ちりょう》する
ばばっ
消毒するね
ひえええっ
ぬっ
おとなしく手当《てあ》てせぬと元《もと》の世界《せかい》へ帰《かえ》るのがますます遅《おそ》くなるぞ
私《わたし》の教《おし》える帰《かえ》る方法《ほうほう》は今《いま》のお前達《まえたち》には危険《きけん》すぎる
太一君のカオ治療したいなー

でも…あたし高校受験《こうこうじゅけん》があるんです！
はやく帰《かえ》らないと…だから帰《かえ》る方法《ほうほう》教《おし》えて下《くだ》さい
血《ち》の気《け》の失《う》せたカオで何言《なにい》っとる
まるで体力《たいりょく》が持《も》たんわ！
だったら私達《わたしたち》の血《ち》を使《つか》ってくれぬか太一君《たいいっくん》
オレ達《たち》の血《ち》を美朱《みあか》にやってくれ！

だ…だめだよ！そんなことしたら…
…それでも良《よ》いがお前達《まえたち》の力《ちから》は半減《はんげん》するぞ
…本望《ほんもう》なれば
・・タダで血《ち》たれ流《なが》してンのもったいねェじゃん！
鬼宿《たまほめ》星宿《ほとほり》…
よしわかった
わっ
ポゥ…

わっ
ウゥッ
鬼宿《たまほめ》
星宿《ほとほり》
今《いま》からわしの念力《ねんりき》でお前達《まえたち》の血《ち》をこの玉《たま》を通《とお》して美朱《みあか》の傷口《きずぐち》から体内《たいない》へ入《い》れていく
苦《くる》しいだろうがガマンおし!

鬼宿星宿《ほとほり》
もう…いいよやめて…
ドクン
ドク
あつ…
ドクッ
…熱《あつ》いっ…

ドク
…2人《ふたり》の血《ち》がどんどん中《なか》に…
ドク
あたしの身体《からだ》の中《なか》に一緒《いっしょ》に流《なが》れてく
ドク
あたし…今《いま》
鬼宿《たまほめ》と星宿《ほとほり》と…ひとつ…に……
スー…

……あった！「今《いま》、『少女《しょうじょ》』の中《なか》に鬼宿《たまほめ》と星宿《ほとほり》の血《ち》が……」
ここだね美朱《みあか》！
そういや痛《いた》みがやわらいでく
血《ち》も…消《き》えてきた！
ファンファンファン
フェーファンファン
ゲーッ
パトカー!?
都立中央図
キイッ
女《おんな》の子《こ》が血《ち》を流《なが》して倒《たお》れたのはここだね!?
はい！この階段《かいだん》の上《うえ》です！

あれ？
…何《なに》もないじゃないか！
えーっ
そっそんなはずありませんよ!!
私《わたし》は確《たし》かに女《おんな》のコが胸《むね》から血《ち》をふき出《だ》してガクッと
あやしいな署《しょ》まで来《き》てもらおう
わーっちがうーっ
どうします？
…せっかくだ一応《いちおう》調《しら》べてみよう
…よしもう良《よ》いな

シュッ
ガクン
はい 服《ふく》ね
きせ
きせ
…
あ ありがと…
ハッ
鬼宿《たまほめ》! 星宿《ほとほり》 大丈夫《だいじょうぶ》!?
…ああ… なんとかな
ありがと ごめんね あたしのために
…いいんだ お前《まえ》が元気《げんき》に なれば
さて では美朱《みあか》も 元気《げんき》になったことだ 帰《かえ》る方法《ほうほう》を教《おし》えよう
まったく 鬼宿《たまほめ》と星宿《ほとほり》に 感謝《かんしゃ》しなさい 美朱《みあか》!

良《よ》いか 美朱《みあか》 お前《まえ》はこの世界《せかい》に長《なが》くいすぎた
よって初《はじ》めの頃《ころ》のように道《みち》が開《ひら》いただけでは簡単《かんたん》に帰《かえ》れぬのだ
が こちらとお前《まえ》のいた異界《むこう》をつなぐものが2《ふた》つある
一《いち》に向《む》こうにある物《もの》と同《おな》じ物《もの》… つまり「媒介《ばいかい》」が必要《ひつよう》じゃ
それは「ばいばい」!!
こっちにある物《もの》で… 向《む》こうにもある物《もの》?
なぞなぞみたいだな
ポン

制服《せいふく》だ!!
そっか それで!!
それと同《おな》じ物《もの》を持《も》つ者《もの》の所《ところ》…
あるいはそれに関連《かんれん》する所《ところ》へつながるはずじゃ
二《に》に深《ふか》くつながり合《あ》う強《つよ》い意志《いし》と感情《かんじょう》じゃ
!
関連《かんれん》…じゃ同《おな》じ制服《せいふく》着《き》てる子《こ》のトコか学校《がっこう》だね!
…美朱《みあか》!! あたし ここにいるよ
!!
帰《かえ》って おいで!!

唯《ゆい》ちゃん!!
本来《ほんらい》なら朱雀七星《すざくしちせい》が7人全員《にんぜんいん》そろっておれば簡単《かんたん》だが
これだけの人数《にんずう》でしかも柳宿《ぬりこ》以外《いがい》ケガ人《にん》では相当《そうとう》の精神力《せいしんりょく》がいるぞ
…大丈夫《だいじょうぶ》やれるさ
…ああ…やれる…必《かなら》ず帰《かえ》らせてやるよ
安心《あんしん》なさいよ美朱《みあか》
最近いいコなのワタシ

その代《か》わり絶対《ぜったい》また帰《かえ》ってこいよ
みんなで待《ま》ってるからな
そう…か
向《む》こうに帰《かえ》るってことは
鬼宿《たまほめ》に会《あ》えなくなるんだ…
では始《はじ》める

皆《みな》は美朱《みあか》に自分《じぶん》の「気《き》」を集中《しゅうちゅう》させよ
美朱《みあか》おぬしは自分《じぶん》の世界《せかい》を心《こころ》に描《えが》き精神集中《せいしんしゅうちゅう》しろ

ごめんね
みんな…
あたしのために
ひどい目《め》に
あわせて
鬼宿《たまほめ》と星宿《ほとほり》に
ケガまでさせて…
このままあたし
帰《かえ》つていいの…？
!!
バカもの
気《き》を散《ち》らす
でない!!

油断《ゆだん》すれば
時空《じくう》の狭間《はざま》に
永遠《えいえん》に飛《と》ばされる
集中《しゅうちゅう》せい！
美朱《みあか》！
…頑張《がんば》れ
美朱《みあか》!!
あたしのこと
考《かんが》えるんだよ!!
ドン
ドン
ドン
ドン
誰《だれ》だ
そこに
いるのは
!!
開《あ》けなさい
警察《けいさつ》だ!!
ドン
ドン
うっ…
そぉ〜〜〜
ドン

美《み》朱《あか》!!
はやく!!
…だめ!!
集中《しゅうちゅう》しようとすればするほど…できないよ

バカ!! 帰《かえ》ってこいっつったら帰《かえ》ってくるんだ!!
おばさんもお兄《にい》さんも心配《しんぱい》してるんだぞ!!
…それに…あたし達《たち》ずっと一緒《いっしょ》だったじゃないか!!
四神天地書
唯《ゆい》ちゃん…
幼稚園《ようちえん》からずっと!!
高校《こうこう》だって一緒《いっしょ》に行《い》こうって言《い》ってただろ!!

行《い》こうよ高校《こうこう》
一緒《いっしょ》に…
出《で》てきなさい!
仕方《しかた》ないこじあけるか!
2人《ふたり》で「合格《ごうかく》」しようよ!!

みんなの力《ちから》が来《く》る
そうだ落《お》ちつけ美朱《みあか》
帰《かえ》るんだ
お母《かあ》さん お兄《にい》ちゃん …友達《ともだち》の所《ところ》に

あたしの世界《せかい》に
バーン
美朱《みあか》ーーっ!!
アア
帰《かえ》るんだーー!!
アアアア

第《だい》十一回《かい》
逢《あ》いたい…

身体《からだ》が熱《あつ》い…
初《はじ》めて「四神天地書《しじんてんちしょ》」の中《なか》に吸《す》い込《こ》まれた時《とき》みたいだ
カァァァ
…帰《かえ》れる…
やっと元《もと》の世界《せかい》に帰《かえ》れる!!
ァァ

カ…
パリパリ
パリパリ

パリパリ…
バッ

ぎゅむう
ひてててて
…本当《ほんとう》に学校《がっこう》だ!!
じゃあ…あたし本《ほん》の中《なか》から出《で》れたの!?
あの時《とき》…

本《ほん》の外《そと》から唯《ゆい》ちゃんが必死《ひっし》に呼《よ》んでくれて…
四神
鬼宿《たまほめ》達《たち》があたしに力《ちから》を送《おく》ってくれて
ともかくみんなのおかげで元《もと》の世界《せかい》に帰《かえ》ってこれたんだ
でもヘンだな
制服《せいふく》を媒介《ばいかい》にしてこっちと本《ほん》の中《なか》がつながってたんなら
もた くた
どーして唯《ゆい》ちゃんのトコに出《で》なかったんだろ？

美朱《みあか》!!
ダッ
HAMAMURA
…お兄《にい》ちゃん!!

バカ!!
何《なに》やってたんだ お前《まえ》は!!
みんなに心《しん》配《ぱい》かけやがって まったく!!
ご… ごめんなさい…
…ともかく無《ぶ》事《じ》で良《よ》かった
この2時《じ》間《かん》必《ひっ》死《し》で捜《さが》してたんだぜ!
エ?
2…時…間…!?
えーっ
まだそんだけしか たってないのお!?
じゃ今まだ12月!?

しーーん
す…数《すう》か月《げつ》たってると思《おも》ってたのに
なんでちょっとしか時間《じかん》たってないワケ!?
まだお母さん怒ってんじゃない!!
…確《たし》かになぐったお母《かあ》さんも悪《わる》かったわ
でも だからってこんな時間《じかん》までどこで何《なに》してたの!!
え
だから図書館《としょかん》の本《ほん》の中《なか》に入《はい》って閉《と》じ込《こ》められてて…

また そんなウソを つく!! 母《かあ》さん達《たち》が どれほど 心配《しんぱい》したと 思《おも》うの!!
まあまあ 母《かあ》さん 美朱《みあか》も無事《ぶじ》 だったんだし
あとで オレが話《はなし》 聞《き》くからさ !
美朱《みあか》 ほれココア
ふぅ ふぅ
ワタシは コーヒー
んでさ さっきの続《つづ》き お前《まえ》結局《けつきょく》ずっと 学校《がっこう》にいたんだろ ?
違《ちが》うもん! だからね…

ふしぎ遊戯②

突然ですが、私は美朱の兄ちゃんの奎介さんって好きなんだ。現実にいたら好みかもしれない。温厚で後ハイなんかのウケいいんだよ、きっと。クラブだと絶っ対副キャプテンって感じ。人が良すぎて自分の好きな女のコでも友達が好きってったらひっつけちゃうんだよ。妹もすごいかわいがってるし（ネコかわいがりじゃないけど）うん、良いな。うちのアシ、Sさんは「鬼宿派」だ。私は…うんお気に入りだなマンガで描くには。読者さんでは、やっぱり鬼宿が1番人気だけど、中に、「思春期」のマナトに似てるから、ってあって、Sさんにいったら「人格を見ておくれよー」と悲しんでました。まあ、鬼宿も人に似てるから好かれてもうれしくないかもねー。あすかと美朱も、私の描く「ヒロイン顔」の決まりでカオ似てるけど全く性格が違うんですよ。（でも「似てる」ってねーそれ言っちゃどの作家さんも物語変わる度にヒロイン&ヒーローガオ変えなきゃいけないっしょー）

私が思うにマナトより鬼宿の方が人間的に大人です。マナトは都会でフツーに高校生してて、いってみれば軽い部分あるけど鬼宿は苦労して成長してるから自分の感情を抑えることも知っている。あと柳宿が言ったことで彼は"ウブ"と言われてますが全く違います～ヘタすると星宿どころじゃありません。すごい激しいものを秘めてる少年ですからう～む私の今まで描いた中には実はいないキャラなんですよぉ。まあ、Sさんとの鬼宿評は、すごく強いけど反面こわれるほどもろくて、明るいはずだけど どこか影があって、情熱的だけどドライなとこがあって、少年のカオと大人のカオがあって、という正反対の部分を持ちあわせてる、ということに落ちつきましたが… そーか そういうキャラだったのか

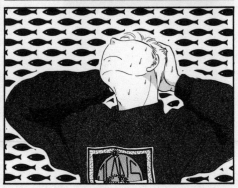

エート
よ よーするにだ 図書館《としょかん》で「四神天地書《しじんてんちしょ》」っつー本《ほん》の中《なか》に吸《す》い込《こ》まれて?
そこで「朱雀七星《すざくしちせい》」っつー7人《にん》を集《あつ》めると四神《しじん》の1《ひと》つ「朱雀《すざく》」が現《あらわ》れて願《ねが》いがかなえられて?

お前《まえ》は受験合格《じゅけんごうかく》したいがためその「朱雀《すざく》の巫女《みこ》」になったと?

それでついでに紅南国《こうなんこく》を護《まも》ってくれってって皇帝《こうてい》の星宿《ほとほり》に頼《たの》まれたの!
あ、星宿ってすっごい美形なんだよ

こく
こく
こく
んで一度《いちど》帰《かえ》るのに太一君《たいいつくん》の所《ところ》に行《い》って…
ぺた
信《しん》じてないのね! でも唯《ゆい》ちゃんのおかげで帰《かえ》ってこれたんだから…
あー わかった わかった!

でもホントだとしたら
その本《ほん》危《あぶ》ねェな!
どーやらその本《ほん》はお経《きょう》でもなさそうだし魔道書《まどうしょ》とかの類《たぐい》かも知《し》んねェ
物語《ものがたり》自体《じたい》が呪文《じゅもん》みたくなってンだろ?
お経《きょう》も和訳《わやく》すりゃ1《ひと》つの物語《ものがたり》になってンだぜ
そのテのまじない本《ぼん》とか特《とく》に女《おんな》のコの間《あいだ》ではやってっけど
そのまじないが古《ふる》けりゃ古《ふる》いほど強力《きょうりょく》な「力《ちから》」を持《も》ってて危険《きけん》な場合《ばあい》が多《おお》いんだ!
危険《きけん》?
そうして願《ねが》いをかなえる場合《ばあい》何《なに》かの犠牲《ぎせい》が必《かなら》ずつきものだからな!

極端《きょくたん》にいえば西洋《せいよう》の黒魔術《くろまじゅつ》!!悪魔《あくま》に願《ねが》いをかなえてもらう代《か》わりにい・け・に・えを差《さ》し出《だ》す!!
コワイぞこれはあっ
お兄《にい》ちゃんカオッカオコワイ!!
エロイムエッサイム
はは―
んなこと言《い》って結局信《けっきょくしん》じてないんでしょ!!
鬼宿達《たまほめたち》は危険《きけん》なんかじゃなかったもん!
くる
お前《まえ》今《いま》の自分《じぶん》の状況《じょうきょう》わかってンのか?
もーすぐ受験《じゅけん》だろ?大変《たいへん》なのはよくわかるけど母《かあ》さんに心配《しんぱい》かけるなよ
兄ちゃんは心配しているのだ

ウソでも
ホントでも
そんな妙《みょう》な本《ほん》に
二度《にど》と近付《ちかづ》くな
忘《わす》れろ!
いいな!
トルルル…
トルルル…
おかしいな
唯《ゆい》ちゃん…
もう寝《ね》ちゃったかな?
ま、明日学校で会えるか
パタン
せっかく帰《かえ》ってきたのに…

なんか
1人《ひとり》ぼっち
みたい…
キィ…
カリ…
鬼宿
星宿《ほとほり》
鬼宿《たまほめ》
柳宿《ぬりこ》
絶対《ぜったい》
帰《かえ》ってこいよ
…危険《きけん》なんかじゃないよね
鬼宿《たまほめ》……
「忘《わす》れろ」なんて…
どう思《おも》う？

でも1《ひと》つだけ
よくわかるの
あたしは
ここじゃ「朱雀《すざく》の巫女《みこ》」
でもなんでもなくて…
ただの平凡《へいぼん》な
受験生《じゅけんせい》
だってこと
スー…
オハヨー
オハヨ
ねーねー
昨日《きのう》の
とんねるず
のさぁ…
すたたたたた
ふうちゃん
モーリン!!
エ?

久《ひさ》しぶりね
元気《げんき》だった!?
すりすりすりすりすり
わーっ
なんだなんだなんだ!?
何《なに》言《い》ってンの
美朱《みあか》!!
昨日《きのう》帰《かえ》りに
別《わか》れただけ
…
んもー
なつかしすぎて
こんなこと
しちゃうっ!!
きゃーっ
3-4
ワヤワヤ
おーし
出席《しゅっせき》を
取《と》るぞ
ー
先生《せんせい》っはいっ
夕城美朱《ゆうきみあか》
いますっ
お前《まえ》はまだ
だっちゅーに
いつも
くさいクツ箱《ばこ》も
シャネルの5番《ばん》の
ように思《おも》える
今日《きょう》のワタシ!!
でもくさい
くんくん
きこてる?
うん
相当
…
…
次《つぎ》っ本郷《ほんごう》!

本郷《ほんごう》 唯《ゆい》
…なんだ 欠席《けっせき》か めずらしいな
次、三好
はーい
……唯《ゆい》ちゃん？
ヘンだな… 本《ほん》の外《そと》で 呼《よ》んでくれた時《とき》 元気《げんき》そう だったのに
昨日《きのう》TEL《でんわ》しても いなかったし…
まさか… 何《なに》かあったんじゃ
パン パン
よーし みんなフデ箱《ばこ》以外《いがい》 カバンの中《なか》にしまえ！

これからカンタンなテストを行《おこな》う
えーーっ
何《なに》が「えーっ」だ マジメに受験勉強《じゅけんべんきょう》してればできる問題《もんだい》だぞ
ブツブツ
美朱《みあか》 ほら! 教科書《きょうかしょ》しまって ヌキうちテストだって!
キ… キネつきうどん?
テ・ス・ト!!
はじめ!!
現実
これだからまったく
ちぇっ
唯《ゆい》ちゃん ホントに どーしたんだろ…
エート

…
ちょっ…と 1問目《もんめ》はとばそうっと
カリ
カリ
カリ
次《つぎ》…
………
………
カリ
カリ
カリ
カリ
ゴシゴシ

チッ チッ
カリ
カリ
カリ
ガク
ガク
ガク
カリ
カリ
カリ
…ど…しよう
みんな
スイスイ
解《と》いてるのに

…本《ほん》の中《なか》に入《はい》ってから何《なん》か月《げつ》勉強《べんきょう》してなかった…!?
唯《ゆい》…ちゃ…
カクカクカクカク
…鬼宿《たまほめ》…
ポキン
これがもし…受験《じゅけん》だったら!?
…鬼宿《たまほめ》…
絶対《ぜったい》…すべる
チッチッ
カリ
カリ
カリ
カリ
カリ
カリ
カリ
カリ
カリ
カリ
鬼宿《たまほめ》助《たす》けて…!!
…大丈夫《だいじょうぶ》だ美朱《みあか》

大《だい》丈《じょう》夫《ぶ》
ちょっと いきなりで ビックリした だけだ
オレが ついてて やるから…

鬼宿《たまほめ》…っ!!
どっ
…どうした夕城《ゆうき》!
鬼宿《たまほめ》…?
…どこ?

ガタッ
鬼宿《たまほめ》!?
夕城《ゆうき》!?
鬼宿《たまほめ》!!
どこ?
どこにいるの?

鬼宿《たまほめ》
ズルッ
ドタ…
どこにも…
いない

あの人《ひと》は…
この世界《せかい》のどこにもいないんだ
ひっく
…鬼宿《たまほめ》…

どんなに
逢《あ》いたくても
…っく
「その本《ほん》には
二度《にど》と近付《ちかづ》くな」
「忘《わす》れろ」
本《ほん》の中《なか》でしか
存在《そんざい》しない……
ぎゅっ
カチッ
キーンコーン
…ごめん
お兄《にい》ちゃん
カーンコーン
あたし
やっぱり…

鬼宿《たまほめ》に会《あ》いたい!!
ハッ
…いけない…その前《まえ》に唯《ゆい》ちゃんに会《あ》わなきゃ…
唯《ゆい》ちゃんにお礼《れい》を言《い》わなきゃ!
ガチャ
はあはあ
ともかく警察《けいさつ》に連絡《れんらく》しよう!
おじさんおばさん…あの…?
美朱《みあか》さん…!!
唯《ゆい》は…唯《ゆい》はどこです!?

え?
今朝《けさ》2人《ふたり》とも
出張《しゅっちょう》から帰《かえ》ったら
あの子《こ》
どこにもいなくて
この
置《お》き手紙《てがみ》が
…
美朱を捜しに行ってきます。
見つけたら
すぐ戻るから…
唯
あの子《こ》は
小《ちい》さい時《とき》から
真面目《まじめ》で1晩《ひとばん》
家《いえ》をあけるなんて
一度《いちど》もなかったのに
あなたを
捜《さが》しに…って
どういうこと
!?
唯《ゆい》ちゃんが
行方《ゆくえ》不明《ふめい》――
!?
唯《ゆい》をどこへ
やったの!!

パロって
ごめんね
(3)

9話ばっかりなのは
ワザとじゃありません。

→案・Y・W(まんが家)

第《だい》十二回《かい》
あなたへの途《みち》

唯《ゆい》ちゃんが行方《ゆくえ》不明《ふめい》って…どうして!?
美朱《みあか》さん!!唯《ゆい》は一体《いったい》どこへ…
落《お》ちつきなさい失礼《しつれい》じゃないか!
ともかく2人で捜してみようそれから警察に…
図書館《としょかん》に…いたはずよあの閲覧禁止《えつらんきんし》の図書室《としょしつ》で
「四神天地書《しじんてんちしょ》」を開《ひら》いて…
ハッ
四神天地書
まさか…
まさか!!

あ…あたしも捜《さが》してきます!!
唯《ゆい》ちゃん!!
バタン
ん?
あれ? 母《かあ》さんか…?
ガタガタン

コソドロか
お前《まえ》はーっ
学校《がっこう》は
どーしたーっ!!
お兄《にい》ちゃんこそ
大学《だいがく》どうした
のよっ
おかしの山
バタバタ
今日《きょう》は休講《きゅうこう》で
オイ!!
おい…
家出《いえで》でも
する気《き》か
お前《まえ》!!
唯《ゆい》ちゃんを
助《たす》けに行《い》くの
!!
ぎゅっ

唯《ゆい》ちゃんが「四神天地書《しじんてんちしょ》」の中《なか》に吸《す》い込《こ》まれたの！
きっとそうよ…だって最初《さいしょ》吸《す》い込《こ》まれたのあたしだけじゃなかったもん！
助《たす》けに行《い》かなきゃ
まだそんなこと…その本《ほん》にはもう近付《ちかづ》くなって言《い》ったろ！
…お兄《にい》ちゃん
唯《ゆい》ちゃんのことだけじゃない…
あたし…きっと最後《さいご》のページがくるまであの本《ほん》から…もう逃《に》げられないと思《おも》う

「四神天地書《しじんてんちしょ》」を開《ひら》いた時《とき》から…
鬼宿《たまほめ》に出逢《であ》った瞬間《しゅんかん》から
だから ごめんね!!
美朱《みあか》! 待《ま》て!!
ガタンガタン
おい聞《き》いたか 昨日《きのう》… 警官《けいかん》が来《き》たって? 女《おんな》の子《こ》が血《ち》を出《だ》して倒《たお》れたとか…
ヒソヒソ
それだけじゃないって あの閲覧禁止図書室《えつらんきんしとしょしつ》 女《おんな》の子《こ》の声《こえ》が確《たし》かにしてたのに中《なか》には誰《だれ》も…
ひぇ〜っ 気味ワリィー

カチャカチャ
カギを直している
どたどたどた
ん?
どしゃ
すみませーん!!
美《み》朱《あか》!!
お兄《にい》ちゃん!!
誰《だれ》も入《はい》ってこれないようにドアふさいで!!
ドッドリ
四《し》神《じん》
四《し》神《じん》…
あった!

今《いま》行《い》くよ
唯《ゆい》ちゃん
…鬼宿《たまほめ》
しゅるっ
お…おい
…そうだ
…
お兄《にい》ちゃん
これ…ずっと持《も》ってて
絶対《ぜったい》離《はな》さないでね!
お兄《にい》ちゃんとあたしを
つなぐ媒介《ばいかい》だから!
お母《かあ》さんに…
「ごめんね」って
言《い》っといて
パラ
…じゃ
行《い》くね!

行《い》くって美朱《みあか》…

フッ
トサ…
…う
うそだろお——ッ!!
…なんとしたものか…
このようなことになるとは…

ふしぎ遊戯②

で、美朱は逆に苦労していくことを知ってるあすかと違って苦労といえば受験ぐらい(それが苦しいんだけどね)兄もいるし、人に甘えて無邪気な子供の部分が強いっていうか。だからどうやってもあすかにある、大人っぽさってのが出せないんです。

なんでかなーと思ってたら、なんとおいたちが違うだけで勝手にキャラが別ものになっているというーああおどろいた。明るくて元気がいいのは私の作品の主人公共通点だけど、美朱はすごくフツウの中学生女子だと思う。認識の甘さとか。まあ、幸せになっていったあすかと違い、これから美朱はどんどんひどい目にあっていくので、物語が終わる頃に初めてあすかに近くなるんじゃないですか。苦労するから。自分でもその変化を楽しみにしてたりしてね。キャラが勝手に成長してくからおもしろいなあ。計算してマンガ描いてないからなあ。あゝちなみに私の友人達は星宿か柳宿がお気に入りらしい。星宿はともかく、柳宿は鬼宿にKissしてきらわれ、なんかいい奴かな、と思わせといてオカマということできらわれ、といういそがしいキャラであった。でも最近「好き」って方が増えたので良かった。私は好きなのだ。なんか、お子様はオカマが嫌いなんですねー中3以上はけっこう好きがるんですけどね。ともかくこのお話は多分、すごい長くなると思うので、私も途中でバテないように頑張りますね。応エンして下さいね。本誌の方は段々ハードになってきてるけど、あんなもんじゃあ甘い甘い！うん、どうなるのかなこの作品。ともかく美朱と鬼宿が超いじめられると思うのね。でもホントは描くのつらいなーほら、ワタセって根がやさしいから。…今、本を床にたたきつけた人！マイナス10点。

なんなんかなーの、3巻へつづく!!

どす…
パリペリ…
ありゃ?
……
わーーっ
陛下《へいか》ああっ
エへへ…
星宿《ほとほり》ごめーん
!!
すっ
朱雀《すざく》の巫女《みこ》
!!
ザワッ
よた よた
へへ
夕城美朱《ゆうきみあか》
ただいま帰《かえ》り…

ま…
ドキン
美朱《みあか》…
会《あ》いたかった――!
…星宿《ほとほり》…
ドキ
ドキ
ドキ
こんなに喜《よろこ》んでくれるなんて…
え!? あたしが向《む》こうに帰《かえ》ってからもう3か月《げつ》もたってるの!?
その間《かん》…少《すこ》し困《こま》ったことがあってな
…そこで「朱雀《すざく》の巫女《みこ》」のお前《まえ》に頼《たの》みがある

一刻《いっこく》も早《はや》く朱雀七星《すざくしちせい》の残《のこ》りの4人《にん》を見《み》つけ出《だ》して欲《ほ》しいのだ
それというのも隣《となり》の倶東国《くとうこく》との間《あいだ》がおかしくなってきたのだ
定期的《ていきてき》に使節《しせつ》を送《おく》り条約《じょうやく》を結《むす》んでここ数年平和《すうねんへいわ》を保《たも》ってきたのに
どーいうこと?
ばたばた
…荷物《にもつ》をおろしなさい荷物《にもつ》を!
…送《おく》った使節《しせつ》が戻《もど》ってこない…しかも倶東《くとう》からは「使者《ししゃ》はどうした」と申《もう》すのだ!
おかしな話だろう
宰相達《さいしょうたち》はこぞって「宣戦布告《せんせんふこく》」だと言《い》う…昔《むかし》から倶東《くとう》はこの国《くに》を欲《ほっ》していたからな
せっ…

……唯《ゆい》ちゃん!
もしそれで戦争《せんそう》が起《お》こって唯《ゆい》ちゃんが巻《ま》き込《こ》まれたりしたら…
いや…知《し》らぬが
星宿《ほとほり》! 唯《ゆい》ちゃんこなかった!? あたしと同《おな》じカッコの髪《かみ》の短《みじか》い…
そんな…じゃあどこに…
美朱《みあか》…はやく7人《にん》を集《あつ》め「朱雀《すざく》」の力《ちから》で弱小《じゃくしょう》の我《わ》が国《くに》を守《まも》ってくれ
…頼《たの》む!!

「朱雀《すざく》の力《ちから》」
たたたっ
…そうだ朱雀七星《すざくしちせい》の7人《にん》を集《あつ》めれば「朱雀《すざく》」がどんな願《ねが》いでもかなえてくれるんだ
そしたら唯《ゆい》ちゃんも見《み》つけてもらえる！
まず鬼宿《たまほめ》に会《あ》って一緒《いっしょ》に捜《さが》しに…
美朱《みあか》！
やっぱり！久《ひさ》しぶりねェ！
柳宿《ぬりこ》！
鬼宿《たまほめ》は？どこにいるの？
…

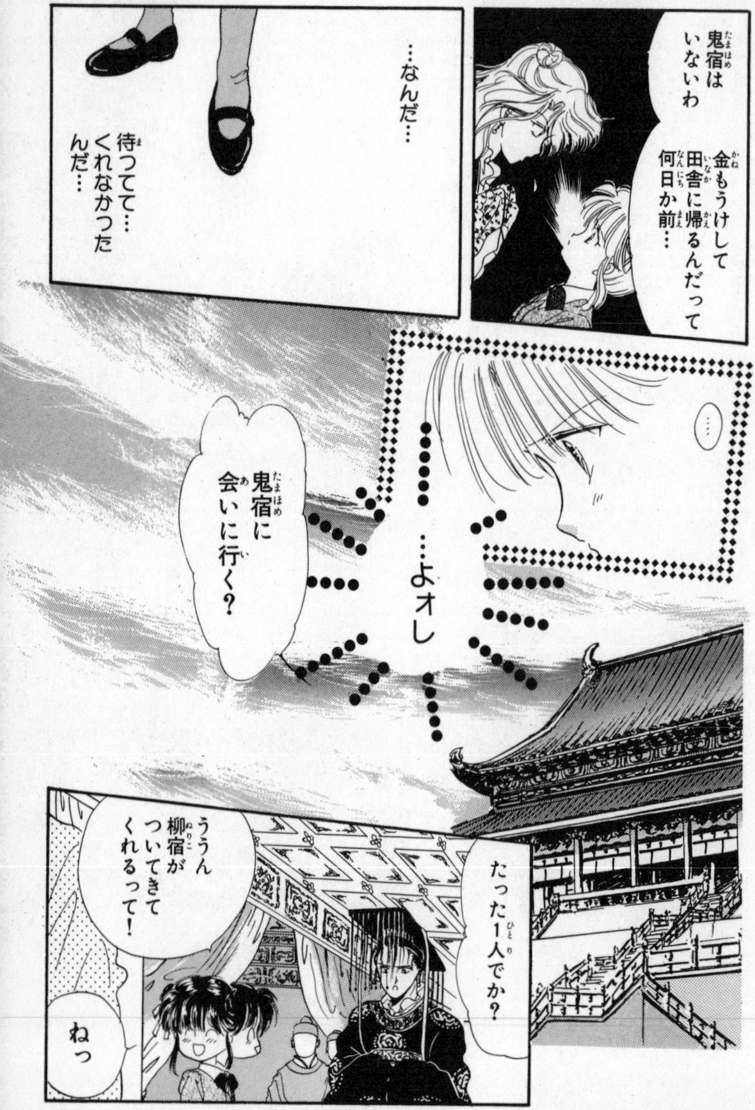
鬼宿《たまほめ》はいないわ
金《かね》もうけして田舎《いなか》に帰《かえ》るんだって何日《なんにち》か前《まえ》…
…なんだ…
待《ま》ってて…くれなかったんだ…
……
…よオレ
鬼宿《たまほめ》に会《あ》いに行《い》く？
たった1人《ひとり》でか？
ううん柳宿《ぬりこ》がついてきてくれるって！
ねっ

…
ちゃんと男《おとこ》のコのカッコしてくれたのよ！
けっこーカッコイイ
女装《じょそう》のままじゃあんたを守《まも》りづらいからよ！
すりすり
…
ちょっとムカッ
…そうか気《き》をつけるのだよ
…倶東《くとう》の密偵《みってい》が侵入《しんにゅう》しているとの情報《じょうほう》があったから
…にしても鬼宿《たまほめ》ってばこんな時《とき》にお金《かね》もうけなんて…

本当《ほんとう》は…戻《もど》ってきた時《とき》
鬼宿《たまほめ》に抱《だ》きとめて
欲《ほ》しかったのに
それとも
あたしのことなんて
忘《わす》れちゃった?
3ヵ月だしなー
ぷちぷち
…でもホント
よく帰《かえ》って
きたわね——
たまちゃん
喜《よろこ》ぶわよ——!
あんたが
いなくなって
鬼宿《かれ》
気《き》が抜《ぬ》けた
みたいに
ボンヤリして…
あんたに見せたかったわ
ぼぉ
…だから
心配《しんぱい》しなさんなって
!
バリバリ
ぼぉ
それお皿よ

鬼宿《たまほめ》は
あんたのこと
好《す》きよ
…ウソ!!
だって鬼宿《たまほめ》
あたしに
そんな感情《かんじょう》
ないって
本人《ほんにん》が
まだ気付《きづ》いて
なかっただけ…
…あら?
何《なに》!?
真《ま》っ暗《くら》!!
おっかしーわねー
道《みち》まちがえ
ちゃったかしら!?

どたーーっ
ヒヒヒーー
いたーっ
ちょっと…あんた大丈夫《だいじょうぶ》!?
あ!
リボン…取《と》れちゃった!!
ヒヒーーン
どどこ!?
あれがなきゃお兄《にい》ちゃんとつながらない…
あ
あった…

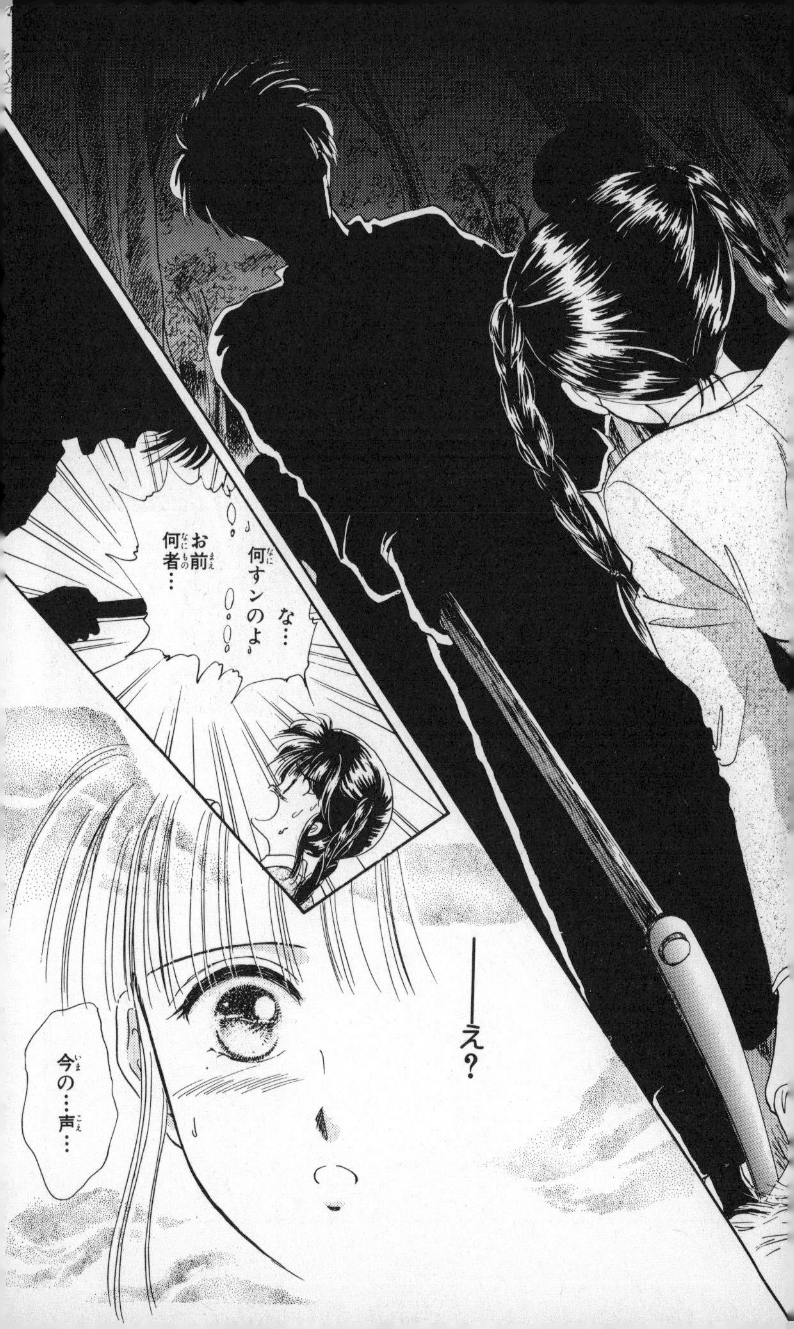
な…何《なに》すンのよ。
お前《まえ》何者《なにもの》…
——え？
今《いま》の…声《こえ》…

たたっ
…美朱《みあか》…？

…鬼宿《たまほめ》…
ヨロ…
…美朱《みあか》
…本当《ほんとう》にお前《まえ》か…？
…ほんの3か月《げつ》ほどなのに
もう何千年《なんぜんねん》も離《はな》れてたみたいだ

鬼宿《たまほめ》

…逢《あ》いたかった…！
トクン
トクン
…トクン
…温《あたた》かい…
心臓《しんぞう》の音《おと》がする
…別《べつ》の世界《せかい》の人《ひと》だってかまわない
…こうしてられるんなら
トクン

元気《げんき》そうじゃ
ねェか…
お袋《ふくろ》さんには
会《あ》ってきたか
?
…うん
仲直《なかなお》りは…ちょっと
無理《むり》だったけど
…だって
あたし
こんなに
この人《ひと》が
好《す》きなんだもの…
…あんたら
まわりの大勢《おおぜい》
シカトして
何《なに》ムード
作《つく》ってンのよ!
じ――
はっ
鬼宿《たまほめ》さん
その人達《ひとたち》は
…

ああ こいつは美朱《みあか》 朱雀《すざく》の巫女《みこ》だ
こっちはオカマ
ざわっ
ゴン
も、もとい オレと同《おな》じ朱雀七星《すざくしちせい》の柳宿《ぬりこ》!
倶東《くとう》との 聞《き》いたろ? こんな状況《じょうきょう》だ 不審《ふしん》な奴《やつ》らが最近《さいきん》出《で》まわってるらしくてよ
金《かね》もうけに この村《むら》の用心棒《ようじんぼう》やってンだ!
ま オレがいる限《かぎ》り この村《むら》も安心《あんしん》だろー けどな!
鬼宿《たまほめ》… 変《か》わらない 良《よ》かった 会《あ》えて…
ざわ ざわっ
かっ
風《かぜ》もないのに 火《ひ》が…

ざわざわ
誰《だれ》が消《け》したんだ!?
落《お》ちつけ!! 誰《だれ》か村《むら》に戻《もど》って火《ひ》を…
スッ
む…っ
美《み》朱《あか》!?

〈ふしぎ遊戯《ゆうぎ》〉②＊おわり＊
1992年少女コミック1号より連載

ふしぎ遊戯②

少コミフラワーコミックス

1992年9月20日初版第1刷発行　　（検印廃止）
2000年7月25日　　第30刷発行

著者　渡瀬悠宇

発行者　辻本吉昭
印刷所　凸版印刷株式会社
PRINTED IN JAPAN

発行所　(101-8001)東京都千代田区一ツ橋二の三の一
振替　00180—1—200
TEL　販売03(3230)5749　編集03(3230)5485
株式会社　小学館

ISBN4-09-134352-X

少コミ
フラワーコミックス

渡瀬悠宇のフラワーコミックス

妖しのセレス 全14巻

御景妖《みかげあや》は、羽衣伝説の天女を先祖に持つ高校生。妖は天女の血が一族で最も濃い事から命を狙われ人格を失ってしまう。その彼女の肉体によみがえったのは…!?

●渡瀬悠宇のFC

天晴《あっぱれ》じぱんぐ！ ①〜②
ふしぎ遊戯 全18巻
エポトランス！舞 全2巻
思春期未満お断り 全3巻
続・思春期未満お断り 全3巻
●渡瀬悠宇傑作集
①ごめん遊ばせ！
②マジカル・ナン
③おてなみ拝見！
④砂の王冠《ティアラ》
⑤ミントでKiss me《キスミー》
●悠宇とぴあコレクション
①おいしいSTUDY
②結び屋NANAKO

●FCデラックス
思春期未満お断り 全3巻
●渡瀬悠宇イラスト集
不思議遊戯
(ふしぎ遊戯イラスト集)
紡歌〜天つ空なる人を恋ふとて〜
(妖しのセレスイラスト集)

大好評発売中!!